» VISIONES «

» 29 «

RONIMUND VON BISSING

¡ A S P I R A N T E !

❧

VON BISSING, RONIMUND
¡Aspirante!.
Ronimund von Bissing, *¡Aspirante!*
Roma – La Haya: Semar 2009, 134 pp. – 17 cm; (Visiones 29).

ISBN-13   978 88 7778 106 2
1 3 5 7 9 10 8 6 4 2

Título original: Aspirant. – *Primera edición*   1992
Edición revisada (primera sección de «Songs of the Wayfarer»
cuarta parte de Songs of the Spirit)   2003
Primera edición castellana, desede la edición revisada   2009
Versión castellana   Paloma de la Viña
Cubierta   *El Arcángel Gabriel*, Iran, Siglo XVI.

ISO 9706

© 2009 SEMAR PUBLISHERS SRL
WWW.SEMAR.ORG | INFO@SEMAR.ORG

❋

✣

RONIMUND VON BISSING

¡ASPIRANTE!

semar

ROMA - LA HAYA

✳

✳

ÍNDICE

✤

¡ASPIRANTE!

¡ASPIRANTE!

PRIMERA PARTE

❧

*E*L VIAJE DEL ASPIRANTE AL INTERIOR DEL MUNDO VA
acompañado de otro viaje simultáneo:

el viaje al interior de sí mismo.

Porque el viaje al mundo le conduce a la vorágine de la
vida, a la vorágine del caos y de la destrucción, a la confusión y
al desplazamiento.

Pero en el ojo del huracán hay quietud. En el ojo del huracán hay silencio:

el ser desnudo.

El segundo viaje, pues, es el viaje a esa quietud, la morada
en el silencio.

Es el viaje al interior del ser.

❦

✤

E NTRE UN SER A OTRO SER HAY COMUNICACIÓN;
entre una quietud y otra;
entre un corazón y otro.

Aspirante, si ha llegado el momento de que te entregues al Poder Superior,
que el catalizador se éste: ¡entrégate!

Si ha llegado el momento de que te liberes de lo irreal,
que el catalizador sea éste: ¡déjate llevar!

Si ha llegado el momento de que entres en el centro de ti mismo,
que el catalizador sea éste: ¡sé!

❁

LA DINÁMICA

❧

*E*L VIAJE AL INTERIOR DEL SER SÓLO ES UN VIAJE CUANDO
se ve con los ojos de la dualidad.

Si hay pasado y hay futuro, el presente es el viaje del uno al otro.

Pero cuando el pasado y el futuro se contemplan como parte de la limitada visión humana, de lo que realmente es una dimensión continua, como el espacio que está siempre presente, entonces, la idea del viaje se desvanece. El principio y el final son igualmente parte del presente continuo.

El movimiento a lo largo de un viaje sólo es real siempre que el espacio tenga su derecha y su izquierda, su norte y sur, su arriba y abajo; y el tiempo tenga su movimiento del pasado al futuro.

Pero cuando todo espacio y tiempo se ven como un presente continuo, entonces, las divisiones del tiempo y las direcciones del espacio se perciben como si sólo pertenecieran a la limitada percepción humana.

¿Cuál sería, por lo tanto, la dinámica del humano, para quien no existe ni pasado ni futuro, ni viaje a seguir desde los lugares dejados atrás hacia los lugares aún por venir?

Sin un adelante ni un atrás, sin un pasado que superar ni un futuro que cumplir,

¿quién y qué es él? ¿cuál es su dinámica?

En la quietud del ojo del huracán llegará la comprensión.

¿Cómo prepararse para el movimiento del huracán si en cualquier dirección que uno se mueva, habrá violencia, turbulencia y confusión caótica.

¿Seguridad? ¿Dónde yace la seguridad?

Cava profundo. Cava profundo, aspirante, ve más profundo, penetra. Construye un reducto donde quedarte mientras buscas el entendimiento;

mientras encuentras las no respuestas a preguntas;

las respuestas a las no preguntas:

la comprensión más allá de los interrogantes.

❧

EL HOMBRE PLENO

❧

*E*N LA VIDA DE UN HOMBRE COMPLETO ¿QUÉ SE MUEVE?

Desde el punto de vista de la física, tanto una partícula como un movimiento pueden conocerse, pero no una partícula en movimiento. Si se intenta conocer la partícula en movimiento, o desaparece la partícula o desaparece el movimiento.

Un hombre así no puede desaparecer, pero si alguien trata de verle en movimiento, desaparecerá de la vista.

Porque un hombre pleno es como una partícula de existencia, inmóvil.

Lo que hay a su alrededor cambia, se mueve. Él *es*.

Como un personaje en el escenario central del universo, en el foco del tiempo, él *es*.

A su alrededor los tramoyistas cambian las imágenes, mueven el mobiliario, modifican las luces y los equipos.

Él está allí, inmutable en medio de todos los cambios: su presente abarca el pasado y el futuro.

El espacio que parece ocupar no tiene delante ni atrás, ni arriba ni abajo, ni derecha ni izquierda. Todo ello ello toma la referencia de él, no él de ello.

El *cuando* y el *dónde* están en lo que él es.

Aspirante, si la descripción del hombre pleno es difícil de aceptar y más aún de visualizar, hay un ejemplo bien descrito y aceptado:

el del *Christos*.

Este es el *Christos* prometido a los hombres, y cada uno de ellos puede llegar a comprenderlo en sí mismo.

Y como prueba de que eso es posible está la historia de un hombre, un hombre pleno, un joven carpintero que demostró que esto fue posible para Él y prometió que sería posible para todos.

Los irradiados por esta radiación eterna son irradiados por lo eterno; lo eterno no está determinado por el tiempo ni el espacio.

Así es el hombre pleno.

Y así puede ser el hombre.

❋

AMIGO ASPIRANTE, DEBES APRENDER DESDE DENTRO DE TI mismo. Por supuesto, puedes aprender mucho de otros humanos y también de la naturaleza de los animales, por ejemplo de la actitud de alerta de los pájaros y su certeza siguiendo lo que sus instintos les ordenan; y también de cada parte de la creación de Dios.

Pero los profundos descubrimientos auténticamente tuyos, sólo tú puedes encontrarlos desde el interior de tu propio ser.

Y si te ves frente a algo que no entiendes o frente alternativas entre las que te sientes desconcertado en cuanto a cómo elegir, tienes que buscar dentro de tu propio ser.

Esto no es una generalidad, sino algo específico: como son específicas las instrucciones para la apertura de una caja fuerte en cuanto a los números y el orden que siguen en la combinación para que la puerta se abra.

Ahora bien, buscar con la mente es inútil, porque el conocimiento que buscas está más allá de ella.

Las emociones y lo físico en sí son irrelevantes, porque la mente, las emociones y el cuerpo sólo son las periferias del ser.

Las respuestas que buscas están en el propio ser; o vienen de Dios a través del ser que es Su representante.

Por lo tanto, primero deberías dejar a un lado el pensamiento, el sentimiento y el cuerpo: sin luchar para liberarte, sino relajándote y entregándote al poder superior, dejando que llegue lo que tenga que venir.

En ese estado interno puedes presentar la falta de entendimiento que sientes, o la elección ante la que te sientes desconcertado. La presentas como una petición a un rey; después la dejas a un lado, como el cortesano deja a un lado su petición y espera humildemente la gracia del rey.

Regresas al interior de la entrega y aceptas la calidez de la gracia que te envuelve.

Si hay alguna clase de respuesta por medio de tu mente o tu sentimiento, o en forma de códigos por medio del cuerpo, debe recibirse con humildad y gratitud.

Si no hay una respuesta perceptible, puede que la pregunta no debería haberse formulado; o que la pregunta, en esa etapa o esa forma no puede recibir una respuesta directa;

o puede que una respuesta llegue de una forma indirecta, por medio de un cambio en la comprensión, o en las relaciones, o quizás más tarde, o a veces en un sueño.

Siempre es posible preguntar de nuevo. De hecho, cuanto más se insiste, más ayuda puede recibirse.

Como ayuda, como guía o para encontrar su propio camino, la persona debe buscar al ser que tiene dentro.

Éste no es el ser que él conoce, ni como él se conoce a sí mismo.

Este es el ser que debe buscarse;

éste es el ser que hay que encontrar;

éste es el ser que, una vez encontrado, una persona debe descubrir como ser.

Ésta es una tarea de hombres y mujeres; éste es el significado de la vida en la Tierra para las mujeres y los hombres;

el resto es incidental, sin un significado independiente ni relevancia para la persona, una concomitancia sólo de esta vida en el mundo.

Esta búsqueda, este encontrar y este ser, son el objetivo de la vida en la Tierra para el hombre.

Este, de hecho inmóvil y eterno, es el llamado viaje.

❀

❧

*P*UEDE DECIRSE QUE LA BÚSQUEDA DEL SER ES LA BÚSQUEDA de Dios.

Puede decirse que la búsqueda de Dios es la búsqueda del propio ser. En los libros sagrados del mundo ya está todo dicho. Pero no basta con leerlos ni saberse algunos de memoria. Es fundamental buscar; encontrar; ser.

Nadie debería imitar a nadie, porque el camino no se hace imitando, por muy elevado que sea el modelo. Ningún profeta imitó a otro profeta; ningún maestro imitó a otro maestro.

Cada uno comprendió por sí mismo, sometido a lo más elevado. Éste es el camino. No hay otro camino a lo más elevado.

Pero las palabras obstruyen. Y la mente, que utiliza palabras, no sabe.

Amigo, tú también puedes tener dificultades con las palabras, las cuales oscurecen realmente el significado.

La palabra 'Dios' es utilizada. La palabra 'ser' es utilizada. Las palabras deben ser superadas.

Ambas palabras han sido utilizadas tan libremente que su significado se ha adulterado, distorsionado.

Pero utilizar palabras sin un significado previo crea misterio y desconcierto, y da lugar a que se pidan definiciones, las cuales, a su vez, sólo dan paso a más palabras.

Las palabras confunden, porque conllevan prejuicios y reacciones condicionadas.

Lo que hablamos no tiene un significado que la mente pueda captar; y ésta, al intentarlo, aumentará la confusión.

Pero si haces lo que acaba de describirse y dejas que la gracia, la paz y la intensa experiencia de amor, tenga lugar en ti, entenderás con exactitud lo que se está describiendo.

Entonces no importarán las palabras, igual que el sabor de un melocotón está contenido en sí mismo, se describa como se describa y sean cuales sean las palabras utilizadas.

Así pues, la palabra 'Dios' o la palabra 'ser' no serán un obstáculo. Y cuando puedas encontrar utilizada una u otra, será como un código establecido para algo de lo que tú tienes experiencia pero que desafía la definición.

Como siempre, regresa a tu base segura: a ti mismo y a tu propia experiencia.

❧

❦

*E*L CAMINO HACIA DIOS, SE DICE, ES POR MEDIO DE LA sumisión a su Voluntad. De nuevo, la palabra sumisión se ha distorsionado y adulterado tanto que, en ciertos casos, su significado es justo lo contrario.

De modo que la propia concepción, en vez de ser la forma más elevada del ejercicio de la voluntad humana sometiéndose al más Elevado, se ha convertido en la negación de toda voluntad y un pretexto para la impotencia.

Es muy posible que tengas dudas, reticencias, incertidumbre y confusión al considerar la sumisión.

Así pues, amigo, una vez más, regresa a tu base segura. En ese estado entra en ti mismo y evalúa.

Sométete internamente para que en la quietud puedas recibir y percibir.

En ese estado, percibe lo que es bueno que hagas y hazlo.

Percibe lo que es malo que hagas, y no lo hagas.

Si hay algo en el mundo por lo que te sientes inclinado, aunque se trate de un antojo, y percibes que no es correcto, abandónalo;

y si hay algo en el mundo ante lo que te sientes reticente o incluso te da pavor, pero percibes que es correcto que lo hagas, debes hacerlo.

Verás que llegar a este estado no se consigue por medio de ofrecerte, de ser activo, de tener la determinación de conseguir tus propósitos, ni por medio de cualquier otra manifestación de la llamada voluntad humana;

verás de una manera muy simple que esto se consigue por medio de la humildad interna, de una pasividad activa y una apertura para recibir, comprender y ser guiado.

En otras palabras, por medio de la sumisión.

❧

*E*NTONCES, ¿CUÁL ES LA VOLUNTAD DE DIOS? ¿QUIÉN SE
atreve a declarar cuál es y cuál no es la Voluntad de Dios?

Nadie puede saber con la mente. Nadie puede saber con
los sentimientos.

Sólo entregando la voluntad personal, podrá quizá la persona llegar a sentir una voluntad mayor, un potente impera-
tivo que debe seguir.

No busques resolver con tu mente ni con tus sentimientos
cuál es y cuál no es la 'Voluntad de Dios'. Pero si te entregas
internamente podrás experimentar la existencia de una gran
corriente fluyendo a través de ti.

Y con la aceptación, esa gran corriente te orientará hacia
el camino del ser o de la acción;

o iluminará tus pensamientos; o purificará tus sentimientos.

Las limaduras de hierro esparcidas sobre un papel alrededor
de un imán tomarán, más o menos, la forma de las corrientes
que se ajustan al modelo de leyes ocultas;

pero algunas pueden quedarse en ángulos transversales, no
totalmente orientadas;

con una sacudida, las limaduras magnetizadas encontrarán su lugar en el modelo de las grandes leyes.

En vez de situarse en oposición a las líneas del magnetismo, con las tensiones internas ejerciendo una presión en aumento, las limaduras ajustan su posición de positivo a negativo, de negativo a positivo, en tranquila armonía con las leyes del gran diseño;

sometida su individualidad a la voluntad superior, a la Fuente de las limaduras, del magnetismo y de todo lo que es, fue o siempre será.

❀

⚜

*A*SPIRANTE, NO TE CONFUNDAS CON LA NOCIÓN DEL bien y el mal.

El hombre, en el estado de dualidad piensa en términos de dos, de modo que si hay bien también debe haber mal.

Mira desde su pequeña barca y ve que ésta surca el océano, dividiendo el agua a derecha e izquierda.

Mira hacia el sol y el agua está toda brillante, viva y bella a ese lado de su barca.

Mira hacia el otro lado y todo el agua está gris, como muerta, fea.

Su barca, sin duda, se abre paso entre los dos, dice él.

Pero su visión está falsificada por una percepción parcial. Desde arriba, la mar es una, el agua es la misma en un lado y otro, y la luz cae por igual sobre todo el océano.

La barca surca el agua, pero ésta vuelve a unirse tras ella.

No hay mal ni bien como tales; son proyecciones del pensamiento humano. Hay creación tal y como es creada, así como hay océano rodeando a la barca.

Las divisiones son relativas a las situaciones locales, que luego el pensamiento humano convierte en absolutas.

¿Es mala la estricnina? ¿Sin embargo en pequeñas cantidades es un tónico.

¿Es mala la radioactividad? ¿Mutila y mata? Sin embargo, cura y es la fuerza del propio sol.

¿Son malos quienes dañan, hieren, mutilan, matan? Sin embargo, puede que lo hagan con el propósito de hacer el bien, aunque esté falsamente concebido.

¿Son malos quienes dañan a otros o a sí mismos? No obstante, lo que muestran es su propia enfermedad, que pide a gritos curación.

En situaciones concretas, el hombre tiene que responder localmente, pero sin juzgar siguiendo los dictados de la dualidad: del mismo modo que los principios euclidianos se demostraron falsos para navegar por una ruta polar, pero que deben ser observados escrupulosamente en la geometría plana.

La división del mundo entre el bien y el mal – Dios y el demonio – y las historias, doctrinas y explicaciones que lo acompañan, son para los esclavos de la dualidad.

Tal dualidad no existe fuera de la realidad humana: como en astrofísica la noche y el día no son realidades que gobiernan, aunque en tiempos pasados tal percepción parecía universal;

Como tampoco, en la ingravidez en el espacio, tienen relevancia local el arriba y abajo, o la dirección ascendente o descendente.

Así pues, aspirante y amigo, no estés confuso. Nunca busques el mal para combatirlo: en sí mismo no existe como tal. Busca comprender lo que yace más allá de la manifestación.

Sigue tu guía interna; las luchas de las fuerzas duales no tienen nada que hacer con tu propia alineación interna, y lo mejor de todo es evitarlas.

Sin embargo, si te encontraras metido en ese conflicto, tú, como Arjuna, no debes retroceder de lo que tu posición requiere;

de los dos lados opuestos debes apoyar al que, evidentemente, se pide de ti, y nunca, por cobardía, ignorancia o indiferencia, debes apoyar el otro lado.

Pero aunque tal posición la fuercen las circunstancias, debes saber y recordar que, aunque las fuerzas actúan y juegan su inevitable juego, del mismo modo que las nubes en una tormenta acomodan los truenos y los rayos por encima de la tierra que se extiende abajo, la realidad existe más allá del juego de tales fuerzas;

y tu lugar está en la realidad más allá de ellas.

Trata, pues, de comprender qué es lo que yace tras las fuerzas en conflicto.

Sí, por ejemplo, te encuentras con alguien que se ha prohibido a sí mismo las expresiones sexuales, por razones que él considera buenas, y declara que las tentaciones vienen del demonio, las cuales considera malas,

te darás cuenta fácilmente de que el 'demonio' no es otra cosa que los instintos – cumpliendo con su legítimo trabajo – implantados en la naturaleza de esa persona para asegurar la continuación de la raza, tal y como ordenó el Creador.

Que esto sea 'el demonio' luchando contra Dios, es un cuento de hadas del pensamiento dual.

Como el hombre que trata de represar a un río por motivos que él considera 'buenos' e inventa una historia para explicar que la fuerza del agua del río, que luchaba para deshacer su trabajo, era 'mala'.

Como siempre, entra en ti mismo y busca allí la respuesta.

Al entregar tu voluntad a la Voluntad de Dios, no hay ni bien ni mal: es un estado desnudo que porta su propia prueba evidente y su propio entendimiento mudo.

En ese estado, permanece en paz y sin que te perturbe la confusión.

Y si en otros momentos sigues encontrándote continuamente confundido por preguntas que no están resueltas, pregunta lo que quieras entender en el estado en el que puede llegar la comprensión; aunque es cierto que, para un buen entendimiento, la mente tiene que pasar primero por cierta purificación, una limpieza de la falsedad, de ideas preconcebidas y supuestos programados, que a través de la sumisión y con paciencia, podrá, como es de esperar, tener lugar internamente y sin la dirección de la mente; entonces, lo que tiene que recibirse se recibirá a través de una mente suficientemente purificada para poder recibir.

❧

SEGUNDA PARTE

✸

❖

*E*L OJO DE CADA UNO DE NOSOTROS ES ATENCIÓN.

La atención bien dirigida es como una brillante luz que ilumina en esa dirección.

No dirigida, es como una luz dispersa en la niebla.

Los libros de sabiduría describen muchas categorías y divisiones de la atención. Su lectura es instructiva, pero no ayudan en la práctica; igual que un manual de violín no es suficiente para producir un virtuoso.

Una persona versada en tales divertimentos puede describir las categorías, pero, las descripciones, solas, permanecerán únicamente en la mente.

Sólo la persona que tiene la experiencia y la practica puede servir de ayuda. Pero esa gente es muy poco común.

Más aún, algunos de los que lo experimentan y practican, lo hacen partiendo de una creencia particular y creen que la propia creencia es una parte del conocimiento de la atención y que, por lo tanto, sólo quien acepta esa creencia puede seguir la práctica y recibir el beneficio.

La atención es, de hecho, neutral. La atención es como la electricidad, que puede ser canalizada para producir frío o calor, para la curación o la muerte.

La creencia es irrelevante, excepto en la medida en que una persona la necesite para su motivación.

Tú, aspirante, amigo, debes experimentar la atención desde dentro.

Apartar los sentimientos y pensamientos requiere atención, pero no la atención que se aplica con la mente.

La apertura de uno mismo a la sumisión y el recibir, requiere una atención especial que debe ser experimentada y entendida, y ser identificable y recreable.

Mantener un estado interno de sumisión mientras se está ocupado en actividades positivas de la vida, requiere la atención de dos cosas:

para la actividad externa, una doble atención en lo que la persona está haciendo, más la persona en sí, al hacerlo;

para el estado interno una atención no dividida, dirigida, por así decirlo, hacia arriba o hacia dentro.

Tales variaciones son posibles con la práctica, aunque suenen desconcertantes, igual que una corriente alterna cambia constantemente de positivo a negativo y, por medio de eso, produce una corriente continua sin fluctuaciones.

El estado interno de sumisión lo enseña todo y no son necesarios los esfuerzos intencionados dirigidos por la mente.

❦

ASÍ PUES, LA ATENCIÓN ES LA LENTE DEL OJO.

Todo el que siga un camino interno, sea cual sea, sabe que la atención es la lente con la que enfocar y, por lo tanto, ver.

Entendiendo la atención, el camino hacia delante está despejado; no entendiendo la atención, el camino está bloqueado con obstáculos.

La atención es la moneda: dinero ahorrado, riqueza producida, capital invertido.

La atención es energía: atención ahorrada es energía disponible; atención generada es energía producida; atención dirigida es energía aplicada.

Sin ahorrar, crear ni dirigir la atención, el avance espiritual no es posible.

La atención ahorrada, creada y dirigida es el combustible que hace posible el avance.

Más aún, una característica de la atención, que no siempre se reconoce, es que establece un canal entre la persona y aquello hacia lo cual se dirige la atención:

aquellos que permiten que su atención se centre en los aspectos negativos de la vida, con temores, dudas y odios, con los deseos y las ansias que les acompañan, encontrarán que se han abierto al flujo de las cloacas de la vida;

y esto se introducirá en ellos y afectará la calidad de su ser, y poco a poco moldeará su vida interior.

Dirige tu atención al Poder Superior y deja que sea el canal al que tú te has abierto.

❧

*A*SPIRANTE Y AMIGO, NO TE ENGAÑES CON LOS CUENTOS y mitos de la humanidad.

Una vez, algunos pensaron en términos de un demonio, a veces con rabo; en términos de muerte, a veces con una hoz; en términos de un dios, a veces con barba.

Hay figuras que representan el Coraje, la Pureza, la Justicia, que la gente utiliza y representa aunque no crean que existen de verdad.

Pero los dioses de las antiguas Grecia y Roma, y los dioses de las sagas nórdicas, de las leyendas hindúes y de las creencias de los nativos americanos – porque representaban cierta percepción y cierto entendimiento de los aspectos de la verdad-sobrevivieron en los inconscientes supuestos de las generaciones, siglos después su transmisión al pensamiento consciente.

La personificación es una falsedad antropomórfica.

Por lo tanto, tú, aspirante, buscarás la verdad por medio de la experiencia interna y la claridad de percepción interna y externa, libre de la neblina del mito.

Como seguramente percibirás, no hay demonio con o sin rabo que vaya a torturarte en el infierno; no existe la figura de la muerte con o sin guadaña, que te siegue la vida en el tiempo que ella señale; y no hay dios, con o sin barba, que te castigue o premie, como un maestro de escuela en tu examen final.

Hay realidad. Hay verdad. Tu tarea es buscarla, encontrarla y vivirla.

Aplica la antigua cuchilla de Occam: corta todo lo innecesario para la explicación de lo que buscas entender.

Pionero en mares sin navegar, utiliza cada ayuda que puedas, pero sin ser engañado y sin engañarte a ti mismo.

❋

❧

AMIGO ASPIRANTE, NO ACEPTES LO QUE DIGO O ESCRIBO, ni nada de lo que otros digan o escriban. Comprueba todo con tu propia experiencia.

Puedes experimentar la capacidad de entregarte a ti mismo: tu experiencia te da la prueba.

Puedes experimentar la capacidad de recibir una gracia interna, experimentar la paz y el entendimiento: tu experiencia te da la prueba.

Comienza desde esta base segura y expándete desde ella.

No puedes probar la existencia de Dios, por mucho que los teólogos y filósofos hayan intentado demostrarla o refutarla.

No puedes probar la existencia del ser, por mucho que los filósofos hayan tratado de demostrarla o refutarla.

El demostrar o refutar, que pertenecen a la mente, son irrelevantes: sea lo que sea que trame la mente es ipso facto falso cuando se aplica a Dios o al ser.

La mente busca saber si hay o no hay Dios; si creó el mundo; si lo hizo en uno o varios actos; si hay uno o muchos universos; ¿Cuándo? ¿qué había antes? ¿cuánto durará? ¿qué habrá después? ¿qué hay más allá?

La mente busca respuestas finitas a preguntas infinitas.

Cuando piensa en proporciones de Dios o del ser, no podrá más que equivocarse: igual que una célula en el dedo de un cuerpo no puede saber nada de las células en los demás dedos, en otros miembros, en otros órganos; ni su relación con la totalidad del cuerpo ni la relación de ese cuerpo con los cinco billones de otros cuerpos en este único y pequeño planeta de este insignificante sistema solar en éste, el más cercano universo.

No te confundas a ti mismo con problemas irrelevantes.

Deja claro dónde estás y qué es, por experiencia, seguro.

Lo que no sabes, acepta que no lo sabes.

Las enseñanzas, doctrinas y teorías las puedes tomar, si así lo deseas, como hipótesis a estudiar en busca de confirmación o contradicción.

No tomes nada a ciegas. No dejes que otros se aprovechen de tu ignorancia con el pretexto de que ellos saben, porque si tú no sabes ¿cómo puedes saber si saben o no saben?

Ciertamente, los Grandes de la humanidad sabían lo que sabían. Pero lo que permaneció de ellos ha sido distorsionado por el tiempo, la interpretación del lenguaje y el hecho de que hablaban a una gente en concreto, de una cultura concreta, en un momento concreto.

Otros Grandes también hablaron de aspectos concretos de la verdad, según las necesidades de aquellos a quienes hablaban en ese tiempo.

Todos proclamaron la verdad.

Todos proclamaron la misma verdad.

Ninguna verdad contradecía a otra verdad.

Nadie proclamó toda la verdad.

Más tarde, los hombres trataron de registrar los derechos de las interpretaciones de lo que los Grandes enseñaron, para cautivar de esa manera a la gente:

porque, según vieron, la imagen de lo espiritual puede aprovecharse para lo material y, por lo tanto, la pretensión espiritual puede convertirse en poder material.

Si te sientes tan atraído, lee los libros sagrados de uno, varios o muchos de los Grandes.

Lee los dichos de los Grandes, mejor que los comentarios que otros hicieron de ellos.

Recoge la esencia. Compara con tus propias experiencias; interpreta en relación con tu propia y probada experiencia.

Encontrarás que estás contemplando tales enseñanzas como si fuera desde dentro: percibiendo internamente sin escuchar externamente.

De esta manera hay mucho que ganar, mucho que comprender. Pero siempre debes regresar a la base segura de tu propia experiencia:

Como el violinista que, después de interpretar una tocata de un maestro compositor, vuelve a comprobar la afinación de su instrumento, confiando en su propio oído.

❧

*A*SPIRANTE, PONTE ANTE DIOS EN SILENCIO, DESNUDO, amando.

No digas nada, no hagas nada, no pienses nada, no sientas nada, no preguntes nada, no esperes nada.

Deja que tu corazón, maleable y suave, se abra al Señor.

En la oscuridad, profunda oscuridad, deja que venga lo que tenga que venir.

No te muevas. Puede que sientas, por así decirlo, una presencia.

No te muevas: no pienses qué, quién, cómo. Mantente.

Puede que el cuerpo se balancee o se mueva: así sea, y mantén la quietud interna.

La experiencia puede ser larga; y plena; y estar compuesta de muchas cosas; y de una forma que no se traduce en palabras, explicaciones y, menos aún, en simples etiquetas.

O puede que no haya nada en absoluto que pueda describirse, como si no hubiera nada: muda oscuridad, quietud sin pensamientos.

Sólo has de saber que éste es un estado sagrado: saber que este estado es la fuente de la que mana todo lo espiritual;

saber que por medio de una gracia que no puedes crear ni gobernar, este estado puede producirse en ti.

Puede producirse al comenzar, quizás en un momento específico, en circunstancias restringidas o por tu propia iniciativa.

Llegará el momento en que este estado empezará a reclamarte cada vez más, a penetrar en tu vida, a impregnar tu día.

Después, el estado en sí determinará su presencia en ti, e incluso ya no será necesario la más mínima intención por tu parte de iniciarlo.

Y el contenido siempre será nuevo, fresco, vivo.

El trabajo del Señor actúa a Su manera y, mientras estés entregado a la Voluntad del Señor, este despertar se moverá en ti por la Gracia de Dios.

Aspirante, nosotros sólo te insinuamos estas cosas, porque nadie debe decir a otro cómo debe ser o no ser en este estado.

Este estado y la relación con el Señor, son tan privados, personales e individuales como la relación que hay entre un amante y su amada.

Pueden escribirse poemas en los que todos los que tengan la misma experiencia podrán reconocer una verdad común; pero el estado en sí es el secreto interno de cada uno.

⚜

*A*SPIRANTE, ESTE ESTADO ES EL MANATIAL DE LA espiritualidad.

Con la práctica, encontrarás la manera de distinguir y discernir entre lo que surge en este estado como alimento espiritual, y lo que surge como purificación.

Más aún, puede que encuentres que este estado es el manantial de todas las creaciones culturales. La auténtica creación artística surge desde aquí;

aunque mucho de lo que aparenta ser una creación artística no tiene, de hecho, nada que ver con este estado sino que, más bien, se trata de una especie de terapia sicológica por medio de una exteriorización de sueños insanos y conflictos sin resolver.

Por medio de este estado puede llegar el conocimiento; puede experimentarse a distancia el contacto con otras personas; capacidades curativas a quienes se les haya otorgado este don; precognición y muchos otros dones que pueden o no otorgarse a cualquier otra persona.

Está claro que si dichas capacidades surgen en este estado, capacidades que no dependen de las limitaciones del tiempo o el espacio ni de cualquier aspecto material, entonces, este estado y esas capacidades podrán existir en un ser después de morir y dejar el cuerpo material.

No tenemos derecho a postular que esto sea así, ni tú, aspirante, puedes verificar, tratando de experimentarlo, si esto es así o no lo es;

porque ninguno de nosotros tiene experiencia de la vida antes de nacer o después de morir que pueda ser demostrada. Por lo tanto, te decimos que no lo aceptes como verdad si no puedes confirmarlo por medio de tu experiencia. Si lo deseas, acéptalo como hipótesis;

porque la indicación es que este estado es el vínculo entre esta vida, vivida en un cuerpo material, y la vida antes de nacer y después de morir, vivida sin un cuerpo material.

❀

❖

ASPIRANTE, EL ACCESO A ESTE ESTADO ES UN PASO TAN VITAL como lo es el aire para el recién nacido, tiene más importancia para ti que cualquier otro paso que puedas dar jamás.

En el pasado, hubo veces en las que sólo después de largos periodos de prácticas extremas, se pudo, de repente, alcanzar este estado.

En cualquier periodo, pasado, presente o futuro, una persona poco común puede, súbitamente, recibir esta Gracia desde arriba, una persona elegida por Voluntad de Dios, de una manera tal, que la voluntad del hombre jamás habría podido elegirla.

Incluso Él, que nació santo, recibió desde arriba a través de la presencia de otro.

En estos días, hay todavía quienes dan por hecho su capacidad de dispensar esta Gracia. Y es posible que puedan hacerlo; o puede que ya no puedan transmitirla; Se cuenta que el hombre que hizo de intermediario para Él, consagró su vida terrenal a vivir en el desierto, ayunando por amor a su Señor, mientras que las personas de hoy quizás no lo hagan.

Sea como fuere, en estos días se puede recibir libremente esta Gracia; se puede producir el estado en sí únicamente cuando se experimenta en presencia de otro que actúa como catalizador y cuyo estado está vivo y lo mantiene activo.

Tal vez debido a los funestos momentos por los que pasa el mundo y la velocidad de todos los procesos, incluidos los de la destrucción, El Omnisapiente ha concedido una nueva y rápida manera de expandir el recibir de Su Gracia entre los humanos.

No sabemos y no podemos saber las razones, pero podemos estar seguros de que tiene un valor incalculable practicar la Gracia que nos han otorgado y entrar en el sagrado estado que durante tanto tiempo fue sólo para tan pocos.

Tras el recibir inicial junto a otra persona, la práctica es tuya; no se necesita a nadie para que te instruya, guíe y ayude: a menos que pidas ayuda o guía, en cuyo caso uno del camino siempre estará allí.

¿Qué se requiere para buscar este estado? Sinceridad de corazón; amor en el corazón. Preferiríamos decir amor a Dios en el corazón, pero hay a quienes la palabra «Dios» les resulta un obstáculo; y a ellos no se les pide que superen primero su obstáculo.

Viviendo algún tiempo en ese estado llegarán a la realidad y a un entendimiento y comprensión de los profundos misterios a los que están expuestos.

Entonces, para ellos no habrá necesariamente contradicciones o anomalías, sean cuales sean las palabras que pueda utiliza cualquiera; y puede que incluso ellos mismos empiecen a utilizar las palabras que fueran en su día un obstáculo.

❄

❖

*E*L HOMBRE, EN ESE ESTADO, ENTRA DIRECTAMENTE EN el área del misterio.

Cada hombre que penetre profundamente, sea científico probando las leyes de la materia o artista viviendo el acto de su creación, se verá frente a misterios cada vez más profundos.

La profundidad más profunda, al fondo del pozo, es también el lugar desde donde, incluso en la distracción de la luz del día, pueden hacerse visibles las estrellas.

En el estado del que hablamos, el hombre se enfrenta a los misterios, no de las leyes de la materia ni de la creatividad humana, sino de ser él mismo.

Permanece expuesto a la percepción interna; toma conciencia de estar en presencia de su propio ser.

La mente se deja a un lado; no hay muleta en la que poder apoyarse;

ni formas que le estructuren;

ni limitaciones que le sostengan;

está solo: no disminuido por su soledad puesto que es él mismo: tan Plenamente élmismo como jamás pueda ser.

❖

✣

S I EL SEÑOR HACE BRILLAR SU LUZ A TRAVÉS DE TI
recuerda, aspirante, que Él es la luz y tú solamente la lámpara.
Mientras hace brillar Su luz, las sombras se disipan,
los caminos se aclaran, todo es luminoso.
Cuando deja de hacer brillar Su luz,
tu lámpara, sin su bombilla, es lo único que queda.
Mantén preparada tu lámpara; se humilde para recibir,
podría ser Su Voluntad enviar
Su corriente a través de ti.

❋

TERCERA PARTE

❖

EN MEDIO DEL TORBELLINO, LA QUIETUD DE SU OJO parece distante.

Si, por ejemplo, estás acosado por las cargas y las complicaciones de la vida, luchando por cumplir con tus obligaciones e intentando encontrar soluciones a problemas que se multiplican, la quietud de la que hablamos puede parecer muy alejada de lo que parece ser realidad;

puedes incluso sentir que los problemas inmediatos deben resolverse de inmediato, que el mundo interior puede dejarse a un lado hasta que la vida sea más tranquila.

Esto es, en efecto, falso. Es en medio del torbellino donde necesitas encontrar la manera de salir de él.

Conoces el camino; sabes que es posible salir de uno y entrar en el otro; sabes que los dos pueden existir al mismo tiempo y que es inútil esperar que termine uno antes de consagrarte al otro.

Puede que haya tantas clases de aspirantes como clases de gente sobre la Tierra, de modo que la forma del torbellino varía, pero la naturaleza de la quietud en su centro es siempre la misma.

Si eres un empleado de una firma occidental, cargado con el peso de los que están por encima de ti, dependiente de su aprobación para tu sustento,

tu torbellino es de una clase, y llegar a la quietud del centro es posible, necesario y constituye tu verdadera vida.

Si eres agricultor en un país empobrecido, dependiendo de dudosas cosechas para tu sustento, tu torbellino y los problemas que surgen de él, son diferentes.

Pero la quietud del ojo es la misma, la plenitud de tu vida morando en y surgiendo de esa quietud, es la misma.

Si sucediera que heredases riquezas y tu vida fuese de aparente lujo y libertad, tu torbellino sería de otra clase, con los problemas que surgen de la riqueza;

y el esfuerzo que los ricos hacen para no perder sus riquezas;

y puede que incluso por aumentarlas;

pero el centro en el ojo del torbellino es el mismo en naturaleza, en calidad y en potencia, igual que para los otros.

Todos necesitan comprometerse a una verdadera vida interna, además de la vida exterior que es obligatoria para todos.

Cuanto antes llegue una persona a darse cuenta de la necesidad de una vida interior y busque llegar a lo más interno de sí misma, mejor para ella.

Aspirante, no dejes que nadie piense que lo mejor es que esto se retrase hasta que la vida exterior se tranquilice y proporcione más libertad.

Al contrario, la fuerza y la vitalidad que tiene una persona joven, se canaliza mejor hacia una vida interior donde se invertirá para su propio desarrollo interno.

Sólo el que no comprenda malgastará los años fuertes batallando contra el torbellino, esperando disfrutar de la quietud pasados los años;

porque sólo quien no entiende nada puede decir que reserva su energía sexual paracuando sea viejo.

❦

❧

ASPIRANTE Y AMIGO, AL PRINCIPIO PUEDE QUE, COMO meta, hayas anhelado ser consciente de ti mismo en todo momento.

O ser consciente de Dios;

amigo, cuando empezaste la primera vez, encontrarías esta meta tan distante como inalcanzable, como un horizonte escondido en la bruma, porque entonces no podías mantener tu estado de consciencia ni siquiera de un momento a otro, ni siquiera mientras caminabas de una habitación a otra; o mientras la corriente de tu consciencia atravesaba tu propio cuerpo.

Porque habrás observado la diferencia entre el estado de consciencia y el pensar acerca de ella, que es pensar no consciencia.

El anhelo que tuviste como meta distante es, en efecto, válido, pero no se adquiere mas fácilmente por medio de la disciplina y el esfuerzo.

No permitas que tu mente te dicte el esfuerzo a realizar; en vez de eso, somete tu estado interno y deja que la Gracia a recibir alimente tu consciencia;

de manera que la consciencia se desarrolle por medio de la
sumisión

y, por medio de ella, el crecimiento de la consciencia se
produzca a su manera

y a su debido tiempo,

hasta que llegue el momento, en el que la presencia – ¿quién
dice de Dios o del ser? – fome parte de tu vida, de tu respira-
ción y de tu propio ser.

❧

AMUEBLA TU MUNDO INTERIOR. SE FELIZ DE HABITARLO.

Ama a tu mundo interior:

ama al ser que lo habita.

Para la mayoría, el mundo interior es una habitación vacía. No es sorprendente que la gente mundana pase su tiempo mirando por las ventanas, por muy opacas y sucias que estén;

y esperando un estímulo que les distraiga de ellos mismos.

Haz de tu propio mundo interior un lugar donde reflexionar y sentir; un lugar de relax; un lugar donde adorar.

Sintiendo paz en ti mismo, muévete alrededor de tu mundo interior, sin sentimiento alguno de falta aunque no haya estímulos de fuera; al contrario, sintiendo gratitud por no ser molestado por estímulos exteriores, aunque permaneciendo siempre tan accesible como sea necesario.

Dentro de la habitación de tu mundo interior está el lugar de tu propio ser interno:

con su bóveda para recibir la luz de los rayos del Sol;

y los espejos mantenidos impecables para recibir y reflejar la luz:

la luz de los rayos;
los rayos de Sol;
que iluminan el ser interno y todo tu mundo interior.

❀

⚜

Dentro de ti, como escondida, porque no se ve o incluso no se conoce,

está la piedra angular.

Sabrás que si alguna vez hay algo que debas hacer pero no deseas hacerlo,

puedes buscar cualquier justificación, excusa o falta de decisión; cualquier compromiso que pueda eludir esta certeza interna;

pero si una parte lo escucha, no hay escape;

no hay tergiversación, los argumentos cesan; lo que tiene que hacerse se hace al instante.

Ésta es la piedra angular.

No es cuestionable; no se puede poner en entredicho; no se puede desafiar y no se puede desobedecer.

Hay paz al instante.

Ha mostrado su presencia brevemente y después se ha retirado.

Recuerda la existencia de esta piedra angular.

Cuando se tenga que tomar una resolución en cuanto a qué es lo correcto, ésta es la que puede gobernar.

Cuando se necesita la piedra angular, ella está allí.

Haz tu mundo interior de tal manera que pueda surgir e interpretar su legitimo papel.

✹

❖

*P*ARA EL HOMBRE Y LA MUJER LOS SENTIMIENTOS SON difíciles de manejar. Llegan a intoxicarse y afligirse fácilmente por los sentimientos.

Los sentimientos de amor y odio, de ansia y desencanto, de añoranza, tristeza y remordimiento, invaden a una persona y pueden tomar el control.

Tales sentimientos, junto a muchos otros de muchas tonalidades y mezclas sutiles, operan dentro tantos y diversos niveles de percepción, que su actividad puede abarcar desde esa operación reconocida como tal hasta lo más recóndito de la inconsciencia total de la mente que lo registra.

Algunos caminos espirituales tratan de cortar todos esos sentimientos; otros intentan controlar los más destructivos; algunos utilizan la fuerza de los sentimientos para alimentar la lucha contra ellos por medio del remordimiento.

Pero tú, aspirante y amigo, sigues tu camino a través de tu propia sumisión, el recibir de la Gracia y, por medio de ella, la guía;

y al expresar esto en relación a ti mismo y al mundo exterior, te comportas conscientemente, con fe y con paciencia, todo ello partiendo de tu sumisión.

No dependes de las reglas establecidas por otros, te guía tu propio recibir;

y hasta que no recibas tu propia guía directa y clara, te comportarás siguiendo las normas de conducta y comportamiento generalmente aceptadas como el estándar superior de la vida ordinaria.

Y en cuanto a los sentimientos, sabrás que los que tenemos dentro de nosotros son tan vitales para nuestra psique como lo es el sistema nervioso para nuestro propio cuerpo.

De tal modo que un área que no tenga sentimiento está desconectada del resto del organismo y corre el peligro de atrofiarse, como sucede con el cuerpo, y de no tratarse puede conducir a casos extremos, como ocurre con la gangrena, y llegar a producirse una necrosis del propio sistema del sentimiento.

Además del papel que juegan en el funcionamiento interno del organismo, los sentimientos también son nuestros sensores para el mundo exterior.

Los sentimientos se trasladan al mundo exterior y, como los tentáculos de un pulpo, buscan lugares apropiados para fijarse en el mundo exterior;

y cuando el lugar se ha encontrado, el tentáculo se agarra succionando.

Además de su función positiva, está claro que cada tentáculo es una exposición a un posible daño en el propio organismo. Por lo tanto, todo el organismo está expuesto al peligro de un daño al exponer sus sensores.

Algunos dicen que los sensores no tendrían que exponerse y que los tentáculos deberían permanecer retraídos;

pero sin esa exposición al mundo exterior, sin las relaciones que aporta tal exposición, el propio organismo se atrofiaría y, por lo tanto, se inmovilizaría y no sería totalmente útil para sí mismo ni para el mundo exterior.

Amigo, recuerda que si los tentáculos quedan atados y se hacen vulnerables, no como resultado del mundo exterior, sino como consecuencia de la acción que produce la succión,

si el tentáculo se agarra a sí mismo en un lugar no apropiado o con una intensidad excesiva, el organismo debe aprender la manera de retirar la succión y liberar al tentáculo.

Amigo, el mundo exterior no está bajo nuestro control: pero los tentáculos y el grado de succión los puede controlar el propio organismo desde dentro.

❧

❧

*L*A CONSCIENCIA, QUE UNA VEZ FUERA LA ASPIRACIÓN más distante, se produce al principio como una señal débil e intermitente;

después se hace más frecuente y dura más;

una vez establecida como una vibración casi continua, su alcance ya está preparado para extenderse.

La primera consciencia por antonomasia: soy, respiro, camino, muevo mis extremidades, es el cimiento de toda esencia espiritual.

Sin esto no hay consciencia: sólo movimiento en las periferias.

Con esto, el crecimiento se hace posible.

Pero en sí mismo aún no es suficiente.

Es como el bebé que descubre por primera vez los dedos de sus manos y sus pies, explorando sus movimientos. Ha avanzado mucho desde que era inconsciente de su cuerpo, pero aún está muy lejos del adulto que entrena sus dedos para un trabajo hábil y dirigido.

La consciencia penetra desde dentro hacia las periferias: al pensamiento, el sentimiento, el cuerpo, el movimiento, el sexo.

A medida que la consciencia satura las periferias, éstas se van instruyendo e iluminando.

Mediante la ampliada consciencia, el no trabajo inicial de las periferias puede resultar contradictorio a la cosnciencia:

puede no haber pensamiento, sentimiento, ni acción y movimiento del cuerpo, ni actividad sexual ni deseo que contradiga a o sea incoherente con la consciencia despierta.

Se alcanza una etapa más cuando iniciativas inteligentes, que nacen de la consciencia, activan a las periferias.

Como en el caso de un músico cualificado, en el que todo su ser interno, incluidos sus sentimientos y sus dichas pasadas, su sensibilidad, su comprensión y,

si es el caso, la consciencia despierta que funciona a través de él, dirige a la mente, a los sentimientos y a los propios dedos en la ejecución de un trabajo.

✤

SER NORMAL

❧

*A*SPIRANTE, DEJA QUE TU PRIMER OBJETIVO SEA SER NORMAL. No te fijes ningún objetivo sobrehumano.

Es normal sentir hambre cuando el cuerpo necesita alimento y sed cuando necesita agua: es normal, en lo posible, satisfacer esas necesidades.

Es normal necesitar dormir cuando el cuerpo está cansado; es normal, en lo posible, satisfacer esta necesidad.

Es normal necesitar aire fresco para que el cuerpo respire, y ropa caliente para neutralizar su pérdida de calor: es normal buscar, en lo posible, satisfacer esas necesidades.

Es normal sentir el impulso de procrear uniéndose el hombre a la mujer, la mujer al hombre. Es normal, en lo posible, satisfacer este impulso.

Es normal, al procrear, sentir amor por la persona de otro sexo: es normal, en lo posible, expresar este amor.

Es normal desear alimentar a la progenie: es normal, en lo posible, satisfacer este deseo.

Es normal desear contactar con otros seres humanos y ejercitar las facultades implantadas: es normal, en lo posible, ejercitar esos deseos.

Es normal preguntarse qué objetivo tiene la existencia y buscar respuestas a las preguntas de cómo ser y cómo actuar: es normal encontrar una guía válida para los siguientes e inminentes pasos.

Al igual que tienes dentro las pautas en cuanto a la comida, bebida y descanso que el cuerpo necesita, y el aire, el calor y el refugio que éste necesita,

también puedes encontrar pautas innatas para las expresiones sexuales, el contacto con los demás y el ejercicio de tus muchas facultades:

y también es normal que puedas encontrar por ti mismo, desde dentro, suficientes respuestas a tus preguntas respecto al por qué de la existencia y a cómo ser y cómo actuar.

Y cuando todo esto se lleva a cabo de esta manera normal, es normal que seas feliz en este mundo.

Funcionar, ser y actuar bien, son las normas del hombre y la mujer. Y desde esta normalidad viene lo que también es normal para los seres humanos, la normalidad de estar plenos y equilibrados y, por lo tanto, felices: la normal armonía que algunos llaman felicidad.

Y al alcanzar esta condición de felicidad te darás cuenta de que siempre y en cada paso te has sometido internamente para buscar y seguir las pautas correctas; y que, por lo tanto, el resultado ha surgido únicamente a través de tu sumisión a los designios de un poder superior y no a través de los actos motivados por ti mismo.

Y entonces sería normal tener un sentimiento de asombro; de gratitud; y de ruego para que siempre sea así.

Normal hemos llamado a todo lo que hemos descrito, y normal es.

Pero comparado con el ordinario, impenitente estado del hombre, es nada menos que un milagro.

Porque lo que se ha descrito es a un hombre cuya meta es el Altísimo: y su meta es inquebrantable;

un hombre que no permite que nada tenga lugar en él que sea contrario a su meta: lo cual también significa que todo lo que hay dentro de él está bajo control;

un hombre que cuestiona el objetivo de su existencia y encuentra una respuesta suficiente a sus preguntas, y que cumple con lo que implica la respuesta;

un hombre que pregunta cómo ser y cómo actuar: y que encuentra las respuestas a cada paso inmediato;

un hombre cuyo ser interno controla su vida sexual, su contacto con los demás y el ejercicio de sus facultades;

un hombre que, como resultado orgánico de haber establecido una meta correcta, un buen equilibrio y una buena práctica, llega a tener un estado permanente de plenitud y felicidad;

todo ello impregnado de sorpresa y respeto, y sometido con amor a la Voluntad del Todopoderoso.

Puede decirse, en verdad, que ésta es realmente la norma del hombre. Sin embargo, debe añadirse que normalmente es muy raro encontrarlo en la vida terrenal:

porque tal hombre es como si fuera de una especie diferente.

Tal hombre es un hombre pleno.

Y eso es posible para el hombre;

hay suficientes pruebas de ello.

❋

*H*AY CAMINOS QUE TIENEN MAESTROS Y CAMINOS QUE se recorren a solas.

Al recibir directamente desde arriba, por medio de la apertura de ti mismo y de la sumisión de tu voluntad a la Voluntad del Todopoderoso, eres responsable de ti mismo.

Como una solitaria persona individual, eres tú quien encontrará tu inspiración; eres tú mismo quien, con paciencia, te guiarás.

Nadie estará allí para recordarte tus transgresiones; serás tú a solas quien fijará tu estándar y según él te juzgarás.

Tu eres quien asegurará tu oración interna al levantarte y el estado interior durante tu día hasta la hora de tu oración interna al acostarte.

Tu eres quien te llamará a la consciencia en todas las actividades del día.

Tu eres quien se regocijará y dará gracias por las cosas que ocurren y te hacen disfrutar; y tu eres quien neutralizará las cosas que surjan y sean difíciles de soportar, y quien nuevamente logrará sumisión, aceptación y paciencia.

Para que en todo lo que suceda, todo aquello por lo que tengas que pasar, seas tú propio maestro: instruyendo, corrigiendo, limitando, animando y dirigiendo;

sería realmente imposible que un hombre pudiera hacer todo esto por si solo; no obstante, para alguien como tú, sometido al Todopoderoso, es posible;

porque en tu sumisión no eres tú verdaderamente el maestro, sino el Todopoderoso a Quien estás sometido;

y el hombre no puede tener un Maestro más perfecto que todo lo que fluye, en generosa abundancia, del Poder del Todopoderoso y de Su Amor a quien a Él se somete.

64 / 65

❦

*A*MIGO, PARA TU PROGRESO ESPIRITUAL CONFÍA ÚNICAMENTE en tu propio estado interno: sé y haz lo correcto y somete lo demás a la Voluntad de Dios.

Nunca confíes tu progreso espiritual al hecho de hacer buenas obras, las cuales, a veces deslumbran, distraen y engañan a los ingenuos.

La bondad, la buena conducta, el buen comportamiento son como la vestimenta de una persona: puede impresionar a los demás y dar comodidad o engendrar orgullo en el portador, pero no indican su valor.

Más aún, aquellos que confían en sus buenas intenciones, en sus buenas obras y su buena conducta, no sólo no consiguen nada respecto a su propia regeneración, sino que lo más probable es que construyan su propia satisfacción sobre pequeños objetivos que les excluirán de la gran meta.

Y aquellos que establecen reservas para que sus vidas sean bien ordenadas y correctas, lo más probable es que lo hagan más por miedo o inseguridad que por su amor a Dios.

Pretender que el torbellino esta domado no es forma de entrar en la quietud de su centro.

Porque lo que está en juego es la total regeneración
de la persona, no el adorno moral; de la misma
manera que la salud física y el bienestar no es
que un hombre enderece su corbata y ponga
un pañuelo en el bolsillo de su chaqueta.

Ante Dios, uno está desnudo.

En presencia de Dios,
el hombre y la mujer son como son,
sin adornos, sin excusas.

En presencia de Dios,
la bondad, la buena conducta,
las buenas acciones e intenciones, no existen.

El hombre es como es; la mujer es como es.

La representación ha terminado.

Los actores son como son en sí mismos.

El rey, el obispo y los mendigos no son más
que actores y, al final de la obra, sin empleo.

¡El sabio no espera hasta el final de la obra!

Aspirante y amigo, sé consciente de tu
propia realidad en todo momento.

CUARTA PARTE

❧

No creas que tu vida en el mundo carecerá de sufrimiento, porque todos los humanos están sujetos a él.

La gente del mundo trata de aliviar su sufrimiento con sueños, y cuanto más sufrimiento más sueños para hacer que su vida parezca soportable: sueños de una esperanza futura, sueños de un pasado diferente, sueños de un presente transmutado.

Y algunos intentan neutralizar su sufrimiento con un trabajo excesivo, como si cauterizaran su dolor con otro dolor.

Y otros entran en una descendente espiral de alcohol, drogas o agitado exceso sexual, o buscan vengar su propio sufrimiento infligiéndolo a otros.

Tú que puedes evitar todos esos caprichos y prohibirte la fácil desesperación de los que se han resignado al fracaso, sabes que, además de la dirección interna que te guía y las disciplinas internas a las que te has adherido, debes también obedecer los mandamientos hechos para todos los seres creados:

tienes que sobrevivir. Tienes que procrear. Tienes que cumplir con tu naturaleza.

Y mientras lo consigues, tú también estarás sometido al sufrimiento.

Pero en esto, los sueños de cualquier clase son el error más grave, como también lo son el resto de recursos lastimeros de aquellos que sitúan sus esperanzas en cualquier cosa fuera de ellos mismos.

Tú te apoyas a ti mismo en unos cimientos firmes, internamente unidos, internamente fuertes, y obedeciendo a una guía segura cuando la recibes, sabiendo lo que haces y por qué lo haces:

calmado internamente en la quietud del centro.

❦

❧

*A*SPIRANTE Y AMIGO, SE DA POR HECEO QUE YA HAS comprendido las indicaciones fundamentales dadas por todos los Grandes de la humanidad.

Sin duda, aquí no necesitamos repetir que, por ejemplo, odiar es dañino, que los resentimientos destruyen más al que ofende que al ofendido;

que la ira es totalmente destructiva;

que la autocompasión es como un ácido que corroe al que siente piedad por sí mismo;

que no sólo los hechos destructivos, no sólo las palabras destructivas, sino también los pensamientos y sentimientos destructivos, corroen a la persona que los alberga;

ni es necesario que proclamemos una vez más que el amor es todo poderoso, que todo lo cura, es el antídoto más potente para todos los venenos del mundo; y el primer amor del hombre es para Dios.

Es suficiente con que refresques tus recuerdos, dando vida a la comprensión que tienes de esos profundísimos y básicos hechos espirituales.

Porque tu camino es el de la sumisión a Dios. Y en el camino de la sumisión, la instrucción de la mente es secundaria para recibir en el corazón.

Por medio de tu propia y profunda sumisión todas esas leyes se hacen evidentes;

y tu sigues adelante con la instrucción y el entendimiento que surge desde dentro, sin necesitar la instrucción externa por medio de la mente.

Lo que no significa que no sea alentador encontrar tus propias revelaciones internas, confirmadas siempre por las indicaciones de los Grandes;

y que el entendimiento interno que recibes nunca debe contradecir las indicaciones fundamentales que los Grandes ofrecieron.

❋

❧

NO SERÁS SEDUCIDO POR EL SEÑUELO DE MOTIVACIONES negativas enmascaradas como emociones válidas,

tales como el odio a la injusticia, la opresión o cualquier otra fuerza destructiva que aflige al mundo.

¡Porque odiar esas cosas también es odio!

Y la persona, pensando quizá que sus opiniones y las acciones que surgen de ellas son correctas, es conducida a la dualidad.

Porque nos convertimos en lo que pensamos y sentimos demasiado, y en lo que constantemente dirigimos nuestra atención.

De modo que por ejemplo, al dedicarse a odiar la injusticia, una persona, además de volverse injusta con sus propios juicios, quedará inevitablemente marcada por su odio.

Y al odiar la opresión, además de llegar a ser opresiva e intolerante con las opiniones y los deseos de otros y sentirse inclinada a imponer su voluntad, a veces incluso por la fuerza, llegará sin duda a quedar marcada por su odio.

Un aspirante no debe permitir que su mente y su corazón se llenen con elementos destructivos, porque esto alimentará y aumentará los elementos destructivos en él mismo.

Debe invocar a la fuerza motivadora que está fuera de toda dualidad: el amor a Dios y la sumisión a Su Voluntad.

Y encontrará un efecto más potente fluyendo a través de él, tanto en su propio beneficio como en beneficio de los demás, si puede convertir su odio al mal en amor por el bien; si en vez de odiar al injusto y al opresor puede sentir amor por los injustamente tratados y oprimidos,

y quizás, hasta pueda ser movido a seguir activamente lo que le dicten tales sentimientos.

❋

❧

Tienes que protegerte contra ls fuerzas destructivas.
Un aspirante es presa de los depredadores, y en el mundo natural todos desarrollan protecciones contra sus depredadores.

Especies diferentes, sean plantas, insectos o animales, desarrollan defensas contra cualquier cosa que pueda devorarles o destruirles.

Una planta, hará un veneno especial que enviará a las hojas amenazadas de ser devoradas por ciertos insectos;
o desarrollará espinas para evitar que sus tiernas hojas sean comidas por ciertos animales;
a veces, las criaturas aumentan su aparente fiereza para atemorizar a los depredadores, bien sea hinchándose, mostrando su pelaje, aparentando tener grandes ojos o pateando con fiereza.

Y la mejor defensa de todas es el camuflaje: el exterior toma la apariencia del entorno, mientras que el interior permanece sin cambios.

Tú también serás objeto de los depredadores: tú también tendrás sabiduría para identificarles y saber la manera de protegerte.

También para ti, que vives una vida poco mundana en circunstancias mundanas, el camuflaje es la primera protección; pero no es la única, porque los depredadores son muchos y variados.

Podemos mencionar a los que, por celos, tratarán de buscar tu lado interno, porque está desarmado, y así ponerlo al descubierto y denigrarlo con el fin de dañarte o destruirte.

En el folclore, Delilah es un prototipo de este ataque.

Hay otros quienes, reconociendo la fuerza interior, tratarán de utilizarla para sus propios fines materiales.

En las Escrituras, quien da un ejemplo de esto es Satán en el desierto.

También hay aquellos que exponen su vaciedad a quien no está vacío y buscan succionar su sustancia.

En los círculos espirituales siempre hay algunos que buscan a quienes tienen sustancias internas y, fingiendo tener necesidades espirituales con derecho a pedir una satisfacción, le succionan la fuerza interna.

Porque la fuerza interna es una cualidad perceptible que, cuando se toca ligeramente la persona lo percibe:

Como Él Mismo mostró cuando una sola persona en mitad de una multitud tocó Su túnica.

Los sabios y experimentados se protegen a sí mismos, pareciendo a veces ofensivos, a veces ridículos, a veces indiferentes, a veces retirándose,

o utilizando cualquier otro medio que puedan idear.

Es incorrecto, es ilícito que un aspirante, suave como el interior de una ostra, se permita exponerse, con el peligro de ser dañado, devorado o destruido; cuando lo que tendría que hacer es identificar a sus depredadores y protegerse.

Aspirante, identifica a tus depredadores y busca la mejor manera de protegerte, sin herirles si es posible.

❃

❧

Cuídate también de esos poderosos depredadores que profesan un camino espiritual e intentan codificar, fijar límites, imponer juicios y establecer castigos para todos los seguidores, buscando así esclavizar a los inocentes.

Porque el espíritu en sí es libre, indeterminado, imprevisible, recién hecho, presente desde el origen de toda creación.

Si algo es rígido no es del espíritu. Si algo es limitado por el hombre, pudiendo ser juzgado por él y sujeto a castigos establecidos por los hombres, no es del espíritu.

Cuando una criatura está viva, está viviendo de acuerdo con su naturaleza; cuando muere, el cuerpo, animado antes por el espíritu, queda sin vida.

Queda entonces pasiva, con forma fija, con una naturaleza previsible y con el rigor *mortis* en ella.

Tal es el estado de algunos caminos espirituales que una vez fueron realmente vehículos vivos del espíritu,

pero que murieron con el tiempo: entonces el cuerpo quedó fijo y manejable y con el rigor *mortis* en él.

No te dejes engañar por actuaciones solemnes: siempre hay aquellos dispuestos a tomar el papel de empresa funeraria con la debida pompa, previsible solemnidad y expresiones lúgubres;

con flores recién cortadas para enmascarar la putrefacción;

y una muchedumbre para seguir la procesión que no cuestiona la charada.

Recuerda siempre la vitalidad del espíritu. En la fuente de tu experiencia está el espíritu vivo. Registra bien el sabor.

Desde la experiencia del espíritu vivo haz fluir tu comprensión y tus realizaciones;

desde tu comprensión y tus realizaciones haz fluir tu relación con el Altísimo, contigo mismo y con el mundo;

y desde allí haz fluir tu comportamiento, tu conducta y tus acciones en el mundo.

Deja que toda tu naturaleza sea animada por el espíritu: el espíritu que vivifica tu siempre revitalizada experiencia original.

❈

❖

*A*SPIRANTE, SÉ MOVIDO POR EL ESPÍRITU: DEJA QUE EL espíritu se mueva en ti, pero que los demás no se den cuenta;

no dejes que la plenitud de tu estado interno se perciba como tal, salvo por aquellos que perciben a través de la consonancia.

Aquellos que están en el mundo sueñan, y sueñan que disfrutan su sueño.

Aunque esté lleno de irrealidad y consecuente infelicidad, aunque piensen que quieren cambiar, sólo cambian a un sueño diferente, no dejan sus sueños y despiertan.

No pongas un espejo frente a tu rostro para que un soñador lo mire: él deseará romper el espejo y, si pudiera, al rostro que hay detrás.

Al entrar en el mundo viajas al mundo de los locos.

No permitas que los locos te influyan hacia sus locos deseos, locas metas, locos valores, locos desvaríos.

Al mismo tiempo, no les des la impresión de ser alguien cuerdo, porque eso invita a su agresión;

y algunos de los que están más locos afirman ser los sanos.

Si te aborda uno de los locos, verás que puedes ser como un hombre sobrio con uno que está borracho, un pariente comprensivo que le tranquiliza, le compadece y le ayuda a descansar, pero sin tratarle jamás como el borracho que es, ni pareciendo estar desagradablemente sobrio.

Pero si encuentras a un hombre cuerdo, tú lo sabrás y él lo sabrá. Porque los cuerdos siempre reconocen a los cuerdos.

En una habitación con personas dormidas, dos de las cuales están despiertas, sabrán mutuamente que la otra también está despierta.

❀

❧

COMPRENDE QUE EL HOMBRE PLENO FRENTE AL HOMBRE normal y corriente es como un adulto frente a un niño.

El hombre mundano, en su máxima ambición, construye un imperio y establece su control sobre todo lo que puede, igual que un niño construye casas con bloques, tiene camiones de juguete y trenes, barcos o aviones que mueve bajo su mando.

Al final del día, los juguetes se guardan: de igual manera, las arenas movedizas del tiempo deshacen el trabajo del hombre mundano.

Y si el niño está jugando con soldados y armas de juguete, estos también, al final del día se recogen y el niño duerme su noche.

Así también, los cambios efectuados por Alejandro o Napoleón en su respectivas época fueron anulados, a veces incluso antes de su muerte.

El niño explica lo que hace, por qué lo hace y lo que busca conseguir.

Pero sus metas son pueriles, no basadas en la realidad, y el adulto escucha, comprende y sonríe, mientras que él mismo tiene tareas reales que afrontar y problemas que resolver, como el de sostener a una familia, ganarse la vida y aprovechar sus talentos al máximo, lo cual no puede explicar al niño porque la base para la comprensión no está allí.

Así mismo, un hombre pleno tiene tareas reales que lograr y todo un mundo de valores, estándares, obligaciones y prohibiciones; y posee percepciones y capacidades para esto, que no puede explicar al hombre mundano porque la base para la comprensión no está allí.

Aspirante, deja atrás los juegos de niño: deja que tu crecimiento se dirija hacia la madurez del hombre pleno.

CULPA

❧

*N*UNCA DEBES CULPAR A LO QUE ESTÁ FUERA DE TI MISMO Y no sentir jamás que hay alguna culpa asignada a alguien en relación a ti mismo.

El resultado natural de hacerte responsable y aceptar la total responsabilidad de ti mismo – ¿ y cómo podría un aspirante aspirar a menos?- es que nunca echarás la culpa a otros ni a las condiciones externas ni a ninguna circunstancia, sea la que sea.

Hay muchas personas afligidas emocionalmente que buscan por todas partes la manera de establecer una culpa externa para lo que no pueden aceptar.

En algunas puede estar débilmente reprimida; en otras puede existir con una abierta indignación o con mucha ira.

Algunos culpan a la madre o el padre por hechos o emociones que sienten que les inflingieron;
  y como consecuencia, en la madurez siguen intentando echar la culpa a alguien.

Algunos culpan al prejuicio de otros hacia ellos mismos, o a la discriminación o el odio de otros hacia ellos, como causa de cualquier indeseable debilidad o malformaciones emocionales que notan en ellos mismos.

Esta actitud destructiva intenta excusar una multitud de atributos negativos ante los que se consideran indefensos y por los que se niegan a aceptar culpa alguna, prefiriendo echar la culpa al objetivo de su odio:

como si alguien con halitosis u olor corporal tratase de cargar la culpa a otra parte.

Tu actitud como aspirante es simple y clara.

Das gracias a Dios por el don de la vida, en cualquier forma que te venga.

Si has nacido discapacitado o mal formado, e incluso si fuera posible establecer que tal defecto viene de tus progenitores,

aun así, aceptarás con gratitud a Dios el don de la vida, la Gracia de la consciencia y de la reflexión, aunque sea limitado en comparación con algunos.

Y si sufriste un indeseable trato por parte de tu padre, madre u otro familiar;

o si otros te despreciaron o incluso persiguieron por el color de tu piel o por la religión de tu gente, la clase social o la categoría material en la que naciste;

incluso si de niño sufriste, te sentiste herido y consternado e incluso expuesto a tu propia reacción infantil de miedo, resentimiento, odio y furia:

a pesar de todo, como adulto, como ser responsable, como aspirante al nivel más elevado que un ser humano pueda alcanzar, encontrarás la manera de exponer y eliminar el mal que te queda;

encontrarás la manera de someterte con gratitud al Todo-poderoso;

por medio del amor que sientes y el amor que recibes desde arriba encontrarás la manera de neutralizar el mal como consecuencia del pasado;

de manera que ese amor, que fluye dentro y a través de ti, pueda finalmente abarcar incluso a aquellos a los que antes habías deseado imponer las culpas.

Porque el odio hiere al que odia incluso más que al odiado; y un ser responsable – y un aspirante es responsable de sí mismo y de su estado interno- no puede permitir y mucho menos justificar, echar la culpa a nada ni a nadie fuera de sí mismo de algo que le concierne solo a él.

❧

*H*AY MUCHOS QUE ESTÁN OBSESIONADOS POR EL SENTIMIENTO
de culpa.

La culpa en sí es un sentimiento sano que refleja el conocimiento o la creencia de que las acciones de uno mismo fueron incorrectas y no tenía que haberlas cometido.

Es un sentimiento de advertencia con objeto de corregir
un error.

Como tal, requiere una acción inmediata para corregirlo,
igual que la quemadura en un dedo requiere su inmediata reti-
rada o el sabor de un agua mala pide su rechazo instantáneo.

Realmente, el sentimiento de culpabilidad es una de las
primeras señales de normalidad en un niño pequeño.

No obstante, a partire de esto pueden crecer y multipli-
carse falsos sentimientos;

y a veces puede llegar a entrelazarse tanto con la sicología
de la persona, que la culpa se vuelve un permanente y
soterrado sentimiento;

por eso una persona puede ir por la vida con una permanente y subyacente sensación de culpabilidad;

tal persona puede, sin duda, lograr crear en sí misma este
sentimiento, incluso manipulando situaciones externas para

crear en ella lo que ha llegado a ser tan habitual que parece su estado normal;

y algunos se unen a movimientos religiosos que han llegado a distorsionarse hasta el punto de arrastrar a sus seguidores a unas arenas movedizas de amenazante y perpetuo sentimiento de autoculpabilidad.

Si tu eres esa persona, mejor sería que buscases ayuda profesional, igual que consultas a un dentista cuando tienes dolor de muelas o a un médico para tu dolor corporal.

Pero un buscador de la verdad no tiene esa anormalidad.

Para él, el sentimiento de culpa es una indicación de que debe tomarse inmediatamente un rumbo correctivo.

La culpa no debe transportarse como si se tratase de una carga incómoda, horrible y maloliente.

Porque la culpa que se guarda o que incluso se conserva, es un obstáculo entre la persona y la presencia del Todopoderoso.

Si el mal ha venido a través de ti y no se puede deshacer, rectificar o hacer bueno, entonces debes entregarlo lo más profundamente que puedas.

Lo tienes que llevar directamente a tus actos de sumisión, con fe, amor, pena y entrega.

Las faltas, sometidas de esta manera, son perdonadas.

Los errores, reconocidos en sumisión, son neutralizados, la persona es absuelta y la sumisión se hace así mucho más profunda.

Esta es la promesa de las Sagradas Escrituras y demostrada en la práctica.

Por lo tanto, cualquiera que siga alojando su sentimiento de culpabilidad, o bien no lo ha sometido de verdad o está desafiando las promesas de los Santos, como el enfermo que, desafiando a su médico y a su salud, se aferra con sus enfermizas razones a su propio estado de enfermedad.

Para quien todavía no es un aspirante, puede haber otra experiencia cuya naturaleza sea completamente diferente, pero que conlleva una profunda sensación de culpabilidad.

Ese es el caso cuando una persona mundana, en cualquier ocasión o por cualquier causa inmediata, se da cuenta de la futilidad de su vida, de sus metas, de sus acciones mundanas y de su superficialidad;

y puede sentirse culpable de tratar de conducir su vida mundana hacia sus propias y pequeñas metas por su propia voluntad, sin consultar al Poder Superior y sin considerar el verdadero propósito de su existencia.

En esta persona puede surgir un gran sentimiento de culpa, una insoportable tensión entre lo que ella es y cómo ve que debería ser.

Para alguien así, su intenso sentimiento de culpa puede ser su salvación, porque podría y debería conducirle al camino de la sumisión de su voluntad a la Voluntad del Todopoderoso;

y sacarle de la oscuridad de su angustia mundana y llevarle a una vida de luz y claridad.

❧

HACER

❖

*C*UANDO LLEGUES A ABANDONAR LA ILUSIÓN DE QUE eres tú quien lo hace todo, te sentirás en paz y al final sentirás serenidad.

La persona que comprenda que por sí misma no puede hacer nada y descubra la manera de someterse al Altísimo en todas las cosas, se encontrará en paz.

En el mundo, los hombres se inquietan, hacen planes y se angustian por cosas sobre las que no tienen control alguno y cuyo resultado no depende de ellos.

El hombre que con amor se somete al Todopoderoso, está en paz. Si se le pide algo que debiera hacer lo hará de inmediato:

estará libre de las tensiones que nacen de las intenciones y los sentimientos conflictivos; y de los preocupantes argumentos «sí y no» que arruinan al hombre mundano.

No puede irritarse por acontecimientos que parecen ir en contra de sus intereses o por maquinaciones contra su persona, porque cada paso es una nueva oportunidad de aprender acerca de sí mismo, de otros y de la creación de Dios;

y cada acontecimiento, favorable o desfavorable, le da la oportunidad de entregar su voluntad personal.

Y en cuanto a la espera, que es una característica de la vida mundana, mientras que la gente y los acontecimientos toman su tiempo en el proceso de hacer madurar las cosas:

nunca se encontrará esperando inútilmente;

porque su trabajo de entrega interna estará siempre con él;

siempre puede abrir su corazón a Su Señor, con amor, paciencia y fe, de modo que su corazón estará inundado de paz y su estado será ecuánime.

Aspirante, nunca necesitarás separar de ti tu propio ser interno; y, al no ser separado de tu propio ser, nunca necesitarás separarte de tu Señor.

✦

*A*SPIRANTE, LIBÉRATE DEL MIEDO.

Temer es negar tu fe en Dios, es una contradicción de tu sumisión.

Es prueba de incertidumbre, la confesión de la duda.

Porque la fe en Dios descarta el miedo;

y la sumisión de la voluntad de uno a la Voluntad de Dios nos libera de las consecuencias de la voluntad de uno mismo;

y para ti, que crees en Dios y te sometes a Su Voluntad, no hay incertidumbre ni duda.

Tu sumisión no es una entrega pasiva de responsabilidad ni una creencia ciega de que todo irá bien.

Al contrario, es una pasividad muy activa, una positiva aceptación del resultado, sea éste o no el que la voluntad deseaba, sea agradable o desagradable, provechoso o inútil para el estándar mundano.

Ya que, por decirlo así, el aspirante une su voluntad a la Gran Voluntad;

y al hacerlo siente fe, sumisión, seguridad y confianza:

por lo tanto, no hay lugar para el miedo, no lo hay en absoluto.

FARSA

❦

*H*AY FARSAS PERMITIFAS, DE HECHO, OBLIGATORIAS, Y farsas que no deben permitirse.

En tus contactos con el mundo te darás cuenta de que a veces es necesario fingir: es necesario actuar para poder convencer en el papel que debes interpretar.

Porque se te exigirá que te comportes como si valorases las cosas del mundo y no puedes mostrar que sabes que no valen nada.

Tú que estás muriendo para el mundo o puede que, hasta cierto punto, ya estés muerto, debes comportarte con aquellos que aún siguen bajo sus ilusiones y encantamientos, como si lo tomases tan en serio como ellos.

La sinceridad de tu mundo interior nunca debe ser expuesta a la vista de aquellos cuyos valores son mundanos.

Al mismo tiempo, al actor que hay en ti nunca se le debe permitir presentar una falsa realidad en tu lugar, ni tratar jamás de que el mundo te otorgue reconocimiento por aquello que tienes que no es de este mundo;

ni mostrar histriónicamente a otros y mucho menos a ti mismo, santidad, sumisión u oración.

Aspirante, como bien debes saber, los auténticos estados internos se expresan espontáneamente, siempre nuevos, distintos a lo anterior.

Al actor que hay en ti no se le debe permitir jamás sustituir los brazos cruzados, la cabeza debidamente inclinada y ninguna postura estereotipada que pudiera invocar para imitar la realidad.

La realidad es siempre nueva, inesperada; si el actor aparece con sus pantomimas, entra de inmediato en ti mismo, allí donde no las puede haber: y el actor desaparecerá;

y la vívida fuente de agua siempre fresca fluirá de nuevo en ti.

⚜

UNA VEZ QUE HAYAS COMPRENDIDO LA NECESIDAD DE LA sumisión y adoptado la decisión de someterte, y haber comenzado – con un amor interno – la práctica de la sumisión por medio de la profunda adoración a Dios Todopoderoso, podrás pensar que tu sumisión se ha realizado y habrá plena consecuencias de ello.

Amigo, esto no es siempre así.

El primer paso que has dado es una decisión, el reconocimiento de una intención y la primera experiencia de la sumisión por medio de la adoración. Pero sólo es un primer paso, aunque vital y decisivo.

Porque la sumisión no se puede lograr toda de una vez; de ser eso posible, lo más probable es que a duras penas sobreviviésemos.

La sumisión se hace por etapas, aunque cada una de ella parezca estar completa y ser la última.

Es como si abrieras las puertas de tu fortaleza a la fuerza que trata de entrar, abandonando todo lo que has estado defendiendo.

Pero, en las defensas de la fortaleza, hay distintas murallas y pronto verás que un nuevo obstáculo impide entrar a la fuerza.

Y cuando, al darte cuenta de esto, quizá después de cierto tiempo y de algunas experiencias y entendimientos nuevos, abras las siguientes defensas, te sentirás aliviado, alegre y satisfecho de que finalmente no queden más obstáculos.

Nadie puede saber cuántas defensas hay ni los diversos grados de sumisión que hay en cada ser humano.

La fuerza que busca entrar desde fuera es de la misma naturaleza que la de la fuerza que está dentro;

buscan unirse la una con la otra. Pero sólo es posible si se aniquila lo que yace entre ambas: el ego.

Y esto sólo puede hacerse por medio de la entrega: la entrega de la fortaleza que crees que te protege dentro de sus defensas.

Porque la fortaleza es, de hecho, tu prisión.

Abrir la muralla a la fuerza que busca entrar, abre la misma muralla que aprisiona tu ser interno.

Sólo que no hay una fila de murallas únicamente, sino que las del ego son múltiples y no pueden venirse abajo de repente, como las de Jericó.

Hay algunas personas del camino que, después de cierto tiempo, parecen haberse paralizado espiritualmente, adorando de una manera repetitiva y cuya comprensión ya no se renueva ni se expande.

En tal caso, puede que su sumisión, en vez de aumentar en profundidad y convicción, se haya detenido; y que alguna muralla, probablemente insospechada, se haya convertido en un obstáculo para la fuerza que trata de entrar.

Aspirante, si eso te ocurriese puedes preguntarte: en cuanto a la sumisión, ¿qué he sometido al Poder Supremo?

¿Mis frivolidades y locuras? Sí; ¿Mi orgullo personal y el que pongo en mis acciones? Sí, todo cuanto puedo; ¿mis decisiones y mis planes terrenales? Sí; ¿y mis malos hábitos?, sí, en proceso.

¿Y qué más? Aspirante y amigo, ¿qué más?

¿Tu sumisión incluye, digamos, que si fuese la Voluntad de Dios tu salud se arruine?

¿Que la enfermedad o la muerte les llegue a tus seres queridos? ¿Que tu suerte en la vida sea tan escasa que te encuentres al límite de la supervivencia? ¿Que incurras en el odio o el desprecio a lo mundano? ¿Que la soledad se fije en ti como una montaña nubosa, fría y húmeda? ¿Que (Dios mediante, por poco tiempo) te dé la sensación de estar privado de la Gracia del Señor?

¿Tu sumisión es suficientemente fuerte y firme como para que sobreviva y te guíe a través de todo ello u otros estados y situaciones extremadamente difíciles de soportar que, al igual que Job, tu puedas ser llamado a afrontar?

Con el estómago lleno, en una casa confortable, rodeado por una familia querida y con una generosa cuenta bancaria, la sumisión no está puesta a prueba; y puede que aún se trate de una plena, profunda y total sumisión, capaz de mantenerse en pie ante todo y más de lo que hemos mencionado, pero no está puesta a prueba.

Y si éste fuera nuestro caso, con sumisión y toda la humildad posible, mientras imaginamos y aceptamos el resto, hemos de permitirnos rogar a Dios Todopoderoso: «Señor, si es Tu Voluntad, no me hagas pasar por la prueba, pero que no sea mi voluntad, sino la Tuya», como Él solía rezar.

❧

❧

SE DICE QUE PARA LA VIDA ESPIRITUAL EL HOMBRE NECESITA FE.
Una auténtica declaración de palabras, pero, ¿qué significan?
Y ¿cómo se llega a la fe?

La fe es absoluta, incondicional y sin restricciones.

La fe es el estado natural del bienestar espiritual,
igual que la salud es el estado natural del bienestar físico.

El bienestar espiritual, un estado interior bien formado,
está caracterizado por la fe: no «confianza», sino fe;
y por esperanza: no «esperanza de o esperanza para»,
sino esperanza; y por amor:
no «amor de o amor para o amor hacia», sino amor.

Igual que el bienestar físico implica vigor;
y confianza, y expresiones abiertas,
el bienestar espiritual implica fe,
y esperanza, y amor.

✦

QUINTA PARTE

❧

*E*N UN ESTADO INTERNO DE SUMISIÓN, TÚ MISMO SABES
que existes y que eres individual.

Esto es evidente y no hay lugar a dudas.

Tu existes, y sumergido en la sumisión, eres tú mismo y
único. Esto sucede sin relación alguna con las cosas materiales.

Pero la individualidad se tiene que comprender.

La individualidad que una persona asume que tiene es
algo diferente a la individualidad que puede tener un perro,
un gato o un caballo.

Igualmente, la individualidad humana basada en las prefe-
rencias por las cosas materiales y en los gustos, deseos y logros
respecto a las cosas materiales, sólo está relacionada con lo
material. Y las cosas materiales mueren.

¿Qué puede sobrevivir a la muerte de lo material si en una
persona no hay nada más que lo que está unido a lo material?

La materia muere; la materia no resucita. Una persona
puede perfectamente preguntarse ¿qué hay en mi misma, que,
sin estar relacionado con lo material, pueda sobrevivir a la
muerte de todo lo que es material?

La individualidad independiente de lo material se tiene que comprender se tiene que formar y hay que dirigirse hacia ella.

La persona saturada de materialidad encontrará difícil imaginarse a sí misma sin elemento alguno de materialidad.

El hombre que vive una vida terrenal por el simple hecho de la materialidad terrenal, es como un aparato centrífugo: toda su sustancia está bajo la presión de salirse del centro;

y el centro queda vacío.

Tú, aspirante y amigo, debes someterte a las leyes centrípetas para que toda sustancia constituyente busque el centro;

y el centro se llene y se vuelva denso y fuerte.

La individualidad independiente de lo material se tiene que comprender, se tiene que formar y hay que dirigirse hacia ella;

durante esta misma vida, mientras se sigue en este mismo cuerpo y se habita en este mismo mundo.

La liberación interna de lo material se lleva a cabo durante la vida, que es una preparación para la muerte;

para que durante esta vida y mientras se está en este mismo cuerpo, tenga lugar la preparación para el milagro de la resurrección.

❧

❦

*N*O TEMAS A LA SOLEDAD.

Algunos temen a la soledad igual que un niño puede temer a la oscuridad, y sin mejor motivo.

La soledad concentra la sensación de ser, y los que la temen son quizá los que sienten que su propio ser es débil o está virtualmente ausente.

Porque, en verdad, la soledad es nuestro estado natural. Desde el momento en que salimos del vientre materno estamos solos.

A lo largo de nuestras vidas, como seres independientes e individuales, creados únicos y separados de todos los demás seres, estamos solos.

Y nuestro tránsito fuera de esta vida cuando morimos, es un misterio que de nuevo afrontamos solos.

Así que, aspirante, acostúmbrate a tu soledad.

La gente mundana busca llenar un hueco interno succionando, como el vacío, todo lo que puede del entorno.

Pero tú, aspirante, da la bienvenida a la soledad interna, porque en este estado tienes una sensación mucho más fuerte de tu propio ser;

y en este estado te llega la experiencia del Poder Superior en tu entrega.

Puede que digas: «Pero, ¿estás menospreciando a mi pareja, a mi familia, valiosísimas relaciones que son para mi inconmensurables?»

Algunos, en ciertas enseñanzas del camino espiritual, dieron consejos en contra de tales relaciones, advirtiendo que distraerían de la meta principal, de la única dirección importante: la búsqueda de la unidad con Dios.

Sin embargo, aspirante, en el camino que busca esta meta sin vacilar por medio de la sumisión al Todopoderoso, mientras se vive en este mundo, esas relaciones son, sin duda, las mas valiosas.

No obstante, como sabrás, en tu adoración estás solo, y solo en tu relación con el Todopoderoso. Lo mismo que tu pareja; y que tu padre y tu madre, y que cada uno de tus hijos.

Ya que por muy estrecha que sea la relación entre los seres, siendo la más estrecha de todas la de las parejas que siguen el mismo camino y la misma entrega al Todopoderoso,

la relación de ti mismo con tu ser y de ti mismo con el Todopoderoso, sigue siendo a solas: individual, independiente, única:

a solas.

❀

❧

*A*SPIRANTE, VALORA LA QUIETUD. TODOS LOS MAESTROS y todas las enseñanzas han encomiado la quietud. Y en su búsqueda, algunos han explorado los bosques o las montañas donde morar a solas sin distraerse.

Otros reservan horas específicas del día para estar solos y calmados.

Aspirante, se te está dando una indicación más. La quietud no depende de lo externo: en la quietud del bosque o la montaña puede que no haya quietud interna; y si la hay, puede que al dejar las condiciones de la quietud externa, el estado interno de quietud se pierda.

Lo que ha de ser buscado es la quietud interna. Y una vez establecida puede mantenerse y llevarse a donde sea necesario ir, entre la gente que sea y en cualquier circunstancia.

Lleva tu quietud al metro en las horas punta; a tu lugar de trabajo; a tu contacto con otras personas.

Cuando tu quietud interna esté bien establecida, verás que puedes mantenerla en cualquier circunstancia incluso cuando se requiera que hables o actúes.

Puede que, por esa razón, al principio temas no estar capacitado, que tal vez no seas capaz de estar atento o darte cuenta de las cosas.

Este temor es innecesario, porque una mente calmada es como el lago de una montaña, sin olas, profundo, que devuelve un reflejo perfecto;

y si se le tirase correctamente un guijarro produciría unos círculos concéntricos que responden perfectamente al impulso puesto en ello.

Y cualquiera que sean las circunstancias externas, la quietud interna significará que tu estarás presente en ti mismo, sin distraerte con nada de lo que haya fuera y sin que el interior se vea disminuido por lo exterior.

La quietud interna es existencia de por sí. No necesitas una concepción mental de Dios, del ser ni de ninguna otra cosa: en la quietud tu *eres*. Y en la quietud, también, podrás recibir.

❦

❧

*E*N EL OJO DEL HURACÁN HAY CALMA.

Uno puede decir que hay calma, salvo por una profunda y palpitante vibración.

Fuera del centro hay confusión. Hay violencia y destrucción, un ámbito de incalculables daños y desplazamientos imprevisibles.

Fuera del centro, la persona está sujeta a los caprichos de fuerzas que quedan más allá de su control o predicción.

Aspirante, tu tienes el modo y los medios de entrar en la quietud del centro.

Sigue el camino con diligencia. Practica el método con una creciente apreciación del valor de tu práctica;
consigue la habilidad de entrar en la quietud en todo momento, en toda circunstancia, sea quien sea el que esté presente.

No intentes amansar al huracán de fuera ni cosechar las tierras azotadas por el viento.

Tu fuerza es la de estar calmado internamente.

Una fuerza incomparable.

❧

⚜

*E*N LA QUIETUD DEL CENTRO NO HAY ESPACIO NI TIEMPO.

Porque un objeto en el espacio está definido por las coordenadas que lo posicionan; y en el centro no hay coordenadas relevantes.

Y un momento en el tiempo se define por el antes y el después;

y el propio tiempo es imperceptible sin pasar del pasado al futuro a través del presente;

mientras que, en el centro, no hay movimiento del pasado al futuro;

en el centro, toda realización y todo potencial están encapsulados.

Las periferias dependen del espacio y el tiempo: de ahí la turbulencia que ruge fuera.

Sin embargo, en el centro, la quietud no tiene espacio ni sus límites, no tiene tiempo ni su segura desintegración.

✸

*A*SPIRANTE Y AMIGO, HEMOS HABLADO DE LA QUIETUD
interna porque es el primer estado desde el cual pueden surgir
las demás experiencias internas.

Es el peldaño de la escalera sobre el cual el hombre puede
mantenerse firmemente.

Entonces el hombre es él mismo, tan completo como
puede ser: atento, tranquilo, auténtico, él mismo.

Pero para alguien que pueda oír hablar de esto desde fuera
y no desde dentro, es prudente añadir que la presencia que
está ahí no es el ser llamado a sí mismo «Yo».

Porque, como hemos dicho, el hombre, ante Dios, está
desnudo: en presencia de Dios el hombre es como es, sin
adornos, sin excusas;

la presencia en su quietud no es el Yo que conoce en otras
partes y en otros momentos.

Es una presencia sensible, abierta a la Presencia Superior;
abierta a las emanaciones del Todopoderoso;
expuesta al amor que pueda manar de Dios.

Vacío de su Yo, el hombre se encuentra en un estado capaz
de ser llenado con emanaciones que vienen de arriba.

Porque en él, en su quietud, en presencia de sí mismo, no tiene de compañero al egoísmo, ni experimenta nada excepto la sumisión al Todopoderoso.

Por lo tanto, en su absoluta sumisión, hay espacio para la llegada de otra Presencia.

Tal estado queda fuera de los confines del espacio, más allá de las terminales del tiempo:

más allá de la mente y sus definiciones;

más allá de los sentimientos y su variabilidad;

más allá de la personalidad y sus límites;

más allá del cuerpo y su predeterminado fallecimiento.

No es vacuidad, sino un lugar que se ha vaciado,

un lugar vaciado para ser llenado.

❀

❖

*H*OGAR.

No consternado ya por la confusión;
ni temeroso del silencio;
ni desconcertado por la quietud:
sentado en el centro de ti mismo,
como el ojo en el centro del torbellino;
estás presente, consciente de ti mismo
en tu propia presencia: un instrumento
consciente para la recepción,
transmisión y activación;
descansado, con una dinámica latente;
no separado ya de Dios por tu propia interposición;
ni de ti mismo por la interposición de tu búsqueda de Dios;
en silencio, en la quietud, tú *eres.*

Finalmente, hogar:
hogar en tu propio ser:
hogar.

❀

EPÍLOGO

❦

¡*A*SPIRANTE! QUE DESPIERTE TU SER.

Que tu determinación sea fortalecida; que se abran en ti nuevas puertas.

Que esta luz que viene del Señor pase de una quietud a otra y de un corazón a otro para que la transmisión espiritual entre nosotros siga extendiéndose.

Si tú, que estás leyendo, no eres todavía un aspirante, se movido a abrir tu corazón, a entregarte, a someter tu voluntad a la del Todopoderoso y a comprometerte a Su servicio!

Que de ese modo llegues al verdadero sentido y objetivo de tu existencia; y dé comienzo en ti el proceso de abrirte a ti mismo.

Finalmente:

Amigo, sé comprensivo con los demás, no juzgues a nadie; ama a todas las criaturas de Dios, especialmente a las humanas, aunque estén siguiendo caminos equivocados;

aunque sus manifestaciones no sean afectuosas, sus motivaciones sean destructivas y sus intenciones hostiles.

Recuerda que sólo Dios es Quien juzga. Recuerda que en la tradición, los que estaban más cerca de Él eran los que en su día estaban más alejados; y algunos de los que estaban más cerca se alejaron de Él completamente; ¿quién sabe en qué etapa se encuentra cualquier ser humano en cualquier momento? Al juzgar negativamente sólo te juzgas a ti mismo.

En la búsqueda de metas elevadas y cuando te impongas exigencias especiales, cuida también de no sentirte superior a los que no hacen esto.

Si estás cerca de Dios Todopoderoso sólo se debe a Su Gracia; no te elogies a ti mismo. No te atribuyas méritos cuando recibas la Gracia, porque eso es normal.

Cuando habites en las partes más elevadas de ti mismo no olvides que también existen otras partes en ti.

Además, los humanos sufren de una gran falta de amabilidad: intenta no tratar mal a nadie y ser amable con todos.

En especial con aquellos que son maltratados por otros, pues, la amabilidad con ellos es tan inesperada que puede tener múltiples beneficios.

Sé intolerante contigo mismo; sé tolerante con los demás;

exígete a ti mismo; no exijas a los demás;

sé amable con los demás; aprecia hasta la más pequeña inclinación que otros puedan tener hacia Dios.

Y en todo tu gran empeño no olvides la luminosidad de la risa, porque la risa es una gran limpiadora. Ahuyenta la falsa seriedad, la pomposidad, la devoción clerical, la auto satisfacción espiritual, el falso fervor y un montón de otras enfermedades.

Un estallido de risa puede sacudir las telarañas, las impurezas y el aire viciado.

Recuerda que la verdad es ligera y fresca

como el agua del manantial,

como el pan recién cocido,

como una habitación recién aireada.

Aspirante,
amigo,
¡cuídate!
¡que Dios sea contigo!

A   M   E   N

» *V I S I O N I* «

JOHANN WOLFGANG VON GOETHE, *I Segreti e la Massoneria*. Testo originale a fronte. Prefazione di Marino Freschi. Introduzione e versione di Ettore Brissa.

MARIO LUZI, *Il colore della poesia*. A cura di Doriano Fasoli. Introduzione di Maria Luisa Spaziani.

JALĀL AD-DĪN RŪMĪ, *Dīvān-i Shams-i Tabrīz. Forty-eight Ghazals*. Perallel Pesrian-English text; with CD. Edited and translated by Iraj Anvar. Foreword by Peter Chelkowski; introduction by Moḥammad ʿAlī Movahed.

YŪNUS EMRE, *Dīvān*. Cura, traduzione e introduzione di Anna Masala.

NASREDDĪN KHOGIA, *Astuzie & Facezie*. Cura, traduzione e introduzione di Anna Masala.

FERDOUSĪ, *Libro dei Re*. Versione in endecasillabi sciolti di Maria Fazia Mascheroni. (3 VOL.).

RONIMUND VON BISSING, *Songs of the Spirit*. Comprising: «*Songs of Submission*»; «*Songs of the Heart*»; «*Songs of the Journey*»; «*Songs of the Wayfarer*». Foreword by the Author. (4 VOLS.).

PRENTICE MULFORD, *Thoughts are Things. Twenty Essays from* «*The White Cross Library*». Edited by Sahlan Momo, introduction by Ralph Shirley.

RONIMUND VON BISSING, *The Land of the Burning Gold*.

ANNA MASALA, *Il Tulipano e la Rosa. Mistici turchi dal secolo XII al XX*. Cura, traduzione e introduzione dell'Autrice.

RONIMUND VON BISSING, *¡Aspirante!*

❄

semar

THIS BOOK HAS BEEN SET IN TEN, NINE AND EIGHT
point Monotype Garamond one point leaded,
according to the Publisher's layout
and printed in March 2009
for Semar Publishers.